MINI-SKYLANDERS
LA MINE DES MOLEKINS

Ouvrage adapté de *Skylanders Academy,*
publié en 2015 chez Penguin Young Readers.
80 Strand, London, WC2R ORL, UK
© 2016 Activision Publishing, Inc.
SKYLANDERS UNIVERSE et ACTIVISION sont des marques commerciales
appartenant à Activision Publishing, Inc.
Tous droits réservés.
Produit sous licence de Penguin Books Ltd.

© Hachette Livre 2016 pour la présente édition.
Adapté de l'anglais par Olivier Gay.
Conception graphique du roman : Julie Simoens.
Mise en pages : Célia Gabilloux.

Hachette Livre, 58, rue Jean-Bleuzen, 92178 Vanves Cedex.

MINI-SKYLANDERS
LA MINE DES MOLEKINS

hachette
JEUNESSE

LES **SKYLANDS**

Ces îles qui flottent dans les airs
cachent de nombreux mystères...
La magie est présente partout !
En passant d'un monde à l'autre,
on découvre des pays
très différents.

LE **PORTAIL MAGIQUE**

Seul un Maître du Portail peut l'ouvrir. Avec ce Portail magique, on se téléporte où l'on veut en un éclair !

EON

Ce Maître du Portail est un grand sage. Il entraîne les Skylanders, et il a toujours de bons conseils pour les guider.

LES **SKYLANDERS**

Pour protéger les Skylands, Maître Eon a réuni les meilleurs guerriers. Chacun a ses pouvoirs, son élément, et ensemble, ils sont invincibles. Mais attention à l'horrible Kaos... Pour régner sur les Skylands, il a toujours des idées diaboliques !

🏔 TERRAFIN

Ce requin de poussière, professeur des Mini-Skylanders, est un super champion de boxe !
Un conseil : il vaut mieux éviter de l'énerver...

ÉLÉMENT
TERRE

🏔 TERRABITE

Terrabite nage dans la terre comme un requin
dans l'eau ! Rien ne résiste à sa mâchoire d'acier,
ni à son talent pour la bagarre !

ÉLÉMENT
FEU

🔥 **WEERUPTOR**

Petite boule de feu au sang chaud, Weeruptor
s'entraîne sans relâche pour être le meilleur et fondre
sur les méchants qui se mettent sur sa route !

ÉLÉMENT
MAGIE

✦ **MINI JINI**

Mini Jini n'a pas peur du combat.
Au contraire, elle a hâte de pouvoir utiliser
ses pouvoirs et armes de ninja face au terrible Kaos !

ÉLÉMENT
MORT-VIVANT

💀 EYE SMALL

Rien n'échappe à ce petit œil ! Il peut lancer les plus terribles malédictions sur quiconque tente de lui tenir tête.

ÉLÉMENT
TECH

⚙ TRIGGER SNAPPY

Trigger Snappy voit toujours les choses du bon côté, c'est un Mini-Skylander plein d'énergie, prêt à bondir sur l'ennemi pour le terrasser !

ÉLÉMENT
AIR

PET-VAC

Armé de son Vacuum Jet, ce petit oiseau,
très intelligent, a toujours un plan derrière la tête !

KAOS

Kaos est lui aussi un Maître du Portail, et même s'il n'est pas grand, il est très puissant. Il rêve de battre les Skylanders pour devenir le maître des Skylands. Il faut se méfier de lui !

Dans tous les univers, partout où le Mal rôde, le Bien cherche à le combattre.

C'est la même chose dans l'archipel des Skylands, cet ensemble d'îles magiques où règnent des créatures fantastiques. Lorsque Kaos, le terrible Maître du Portail, a voulu conquérir ce territoire, Maître Eon s'est opposé à lui. Il a créé l'ordre des Skylanders, de courageux héros désireux de protéger les Skylands contre tous les dangers. Grâce à eux, les plans de Kaos ont été anéantis, et il n'a pas réussi à reformer le Masque du Pouvoir.

Tout le monde a cru que l'affreux sorcier avait disparu et ne ferait plus jamais parler de lui. Mais depuis peu, une terrible tache sombre dans le ciel a poussé les Skylanders à enquêter. Montés sur des bolides ultrarapides, ils sont devenus les Superchargers. Ils étaient impressionnants !

Pourtant, les Skylanders n'ont pas toujours été aussi puissants. Comme tous les défenseurs des Skylands, ils sont allés à l'Académie des Skylanders. Autrefois, ils étaient des Mini-Skylanders, et ils ont appris petit à petit à utiliser leurs pouvoirs…

Aujourd'hui, c'est Terrafin qui s'occupe des Mini-Skylanders. Le puissant guerrier à l'allure de requin a mené de nombreux combats et il est très respecté par

la nouvelle génération. D'ailleurs, l'un des Mini-Skylanders de l'école, Terrabite, lui ressemble énormément… en plus petit !

– Allez, il est temps de reprendre le cours ! lance Terrafin

en passant parmi les Mini-Skylanders.

Un concert de protestations s'élève en guise de réponse.

– Finies, les leçons ! On veut de l'action ! proteste Weeruptor, une petite boule de flammes appartenant à l'élément Feu.

– Oui, pourquoi est-ce qu'on ne peut pas se battre, nous aussi ? demande Mini Jini.

C'est une ninja miniature, très dangereuse avec son petit sabre et ses mini-techniques.

– Ça viendra, répond Terrafin, rassurant. Vous verrez, vous aussi, vous pourrez vous battre pour sauver les Skylands. Mais en attendant, il faut être sages et bien vous entraîner. Terrabite, Weeruptor, montrez-moi ce dont vous êtes capables !

Comme s'ils n'avaient attendu que ça, les deux Mini-Skylanders prennent place dans l'arène. Ils sont très amis et ils ont l'habitude de se battre en équipe, combinant leurs pouvoirs pour un résultat maximal ! Lorsque leur professeur donne le signal, Terrabite s'enfonce sous la terre. À l'instar de Terrafin, il est capable de nager dans la terre comme si

c'était de l'eau ! Il reste caché sur quelques mètres, et on ne distingue plus que son aileron qui dépasse, comme un vrai requin.

Soudain, il jaillit d'un monticule de terre, sous les pieds d'un ennemi imaginaire !

– Et si jamais je l'ai raté… commence-t-il.

– … c'est moi qui lui brûle les fesses ! complète Weeruptor, qui se transforme en flaque de lave et s'écoule sur le sol. Attention, ça va chauffer !

Terrafin applaudit des deux nageoires. Il est très content du progrès de ses troupes.

– Bravo ! Si vous continuez comme ça, vous deviendrez rapidement de vrais Skylanders !

Les deux amis se tapent dans les mains, ravis. Ce n'est pas tous les jours qu'ils reçoivent de tels compliments…

– Grâce à votre attaque combinée, continue Terrafin, vous pourrez mettre en difficulté une armée de trolls ! Mais ce qui est encore plus important, c'est la confiance mutuelle que vous vous portez. Vous êtes plus forts à deux que seuls. Ne l'oubliez jamais ! C'est ça qui fera toujours la différence face à l'infâme Kaos.

– Ça, et l'odeur, plaisante Eye Small, un Mini-Skylander en forme d'œil géant.

Des rires lui répondent, mais bientôt, tous redeviennent sérieux. Ils savent qu'ils doivent s'entraîner dur pour être à la hauteur. De nouveau, ils se répartissent par groupes pour travailler leurs attaques… quand soudain, une voix grave vient les interrompre.

– Skylanders, j'ai besoin de vous !

Eye Small regarde autour de lui, surpris. Il ne voit personne. Ce n'est pas normal, il a pourtant

la meilleure vision de tous les Mini-Skylanders !

Mais la voix vient du ciel. Le visage de Maître Eon s'est matérialisé dans les airs. Le Maître du Portail est tout de suite reconnaissable avec son épaisse barbe blanche et son casque à pointes.

Seulement aujourd'hui, il a l'air particulièrement soucieux. Et Maître Eon s'inquiète rarement pour rien. D'ailleurs, il n'apparaît jamais pendant les

heures de cours d'habitude. Il sait à quel point sa présence perturbe les élèves ! Cela veut donc dire qu'il y a urgence…

Et qui dit urgence dit… KAOS !

– Maître Eon ! Que se passe-t-il ? Nous pouvons vous aider ? demande Terrafin en essayant de cacher son côté dur à cuire.

Le visage dans le ciel soupire.

– Les Superchargers se sont rendu compte que Kaos avait à nouveau élaboré un plan machiavélique pour contrôler les Skylands. Mais ils ne sont pas capables de le vaincre seuls. Ils ont besoin des Mini-Skylanders !

Terrabite n'en croit pas ses branchies ! Les Superchargers sont des Skylanders d'élite, qui conduisent des véhicules exceptionnels. Comment les Mini-Skylanders pourraient-ils réussir là où les Superchargers ont échoué ?

– Une mission ? s'écrie Eye Small, tout excité.

– Pour nous ? insiste Mini Jini.

Elle vient de se plaindre qu'on ne leur faisait pas confiance,

et voilà que Maître Eon leur demande de l'aide. C'est presque trop beau pour être vrai.

– Vous êtes sûr ? demande Terrafin, hésitant. Tous ? Ils n'ont pas fini leur formation…

– Tous, confirme gravement Maître Eon. Je ne ferais pas appel à eux en temps normal, mais là, la situation est critique.

D'un clignement de paupières, il ouvre un Portail vers une destination inconnue, et

les Mini-Skylanders se pressent en rangs, fous de joie. Comme d'habitude, Trigger Snappy est le plus incontrôlable. Il bondit dans tous les sens, sa grande langue pendouillant de sa gueule. Il est prêt à se battre contre n'importe quel ennemi.

Leur première mission ! Ils ne s'imaginaient pas intervenir si vite. Et contre Kaos, en plus ! Comme les grands !

Terrafin prend une grande inspiration. Devant lui, le Portail

brille d'une lueur incandescente. Que vont-ils trouver derrière ?

– Vous avez entendu Maître Eon ? Mini-Skylanders, en avant !

CHAPITRE 2

AU SECOURS DES MOLEKINS

Le Portail amène les Mini-Skylanders sur une île aride. Il fait chaud, très chaud. Le vent brûlant leur caresse les cheveux – pour ceux qui en ont, comme Mini Jini, qui fait très attention à les brosser chaque matin !

– Poussez pas ! crie Trigger Snappy en sortant du Portail.

– Je veux voir où on est ! gémit
Eye Small.

L'île est déserte, en dehors
d'une montagne gigantesque
en plein milieu. La voix de
Maître Eon résonne à nouveau
alors que le Portail se referme :

– Non loin d'ici se trouve un village de Molekins. Kaos l'a envahi, et nous ne connaissons pas ses plans. Je compte sur vous pour les découvrir. Bonne chance, Mini-Skylanders ! J'ai confiance en vous.

Son visage disparaît et le désert redevient silencieux. Eye Small et Terrabite se regardent. Des Molekins ? Ils n'ont jamais entendu parler de ces créatures.

Et justement, l'une d'elles se dirige vers eux en courant. Elle a l'air affolée.

– Enfin ! Maître Eon soit loué, vous êtes arrivés !

C'est un petit rongeur avec de grandes griffes pour creuser la terre et des yeux myopes cachés derrière de grosses lunettes rouges. Il ressemble à une taupe !

– Que se passe-t-il, demande Terrafin en parlant pour ses élèves. Comment pouvons-nous vous aider ?

– Vous ne pourrez pas m'aider, corrige le Molekin. Mais eux le pourront ! Je vais vous expliquer : Kaos a utilisé ses Sombres Pouvoirs Excessivement Dangereux Surtout La Nuit pour prendre le contrôle de nos tunnels. Nous travaillons sous terre, dans la mine, mais nous avons été chassés par les trolls de Kaos. Et nous sommes beaucoup trop faibles pour nous défendre seuls…

Terrafin regarde la montagne, pensif.

– Je comprends mieux pourquoi vous avez besoin des Mini-

Skylanders. Les galeries doivent être trop étroites pour faire passer un Skylander adulte.

— Exactement ! confirme le Molekin. Même nous, nous n'arrivons plus à nous faufiler dans les tunnels depuis qu'ils en ont pris le contrôle. La plupart se sont effondrés. Il y a des pièges et des ennemis partout. Sans vous, nous sommes perdus !

— Qu'est-ce que Kaos recherche dans votre mine ? demande Eye Small en clignant de l'œil.

— Je n'en ai aucune idée, soupire le Molekin. Mais connaissant

le terrible Maître du Portail, il ne se contente pas de cueillir des champignons !

– Il a sans doute imaginé un nouveau plan pour conquérir les Skylands, réfléchit Terrafin. Nous devons l'arrêter ! Mais tout de même, faire participer

les Mini-Skylanders, c'est très risqué… Ils ne sont pas encore prêts !

– Si ! proteste Weeruptor. Tu as vu, tout à l'heure, j'ai réussi à me changer en flaque de lave, comme un grand !

– Et moi, j'arrive presque toujours à me rendre invisible, annonce Mini Jini en disparaissant… à moitié.

Terrafin grimace. Il n'aime pas mettre ses élèves en danger, mais il ne peut pas non plus laisser Kaos accomplir son plan diabolique. Et puis, après tout, Maître Eon lui a donné un ordre.

– Très bien, se rend-il. Je vous accompagne jusqu'à l'entrée des galeries, et ensuite, vous devrez vous débrouiller tout seuls.

– Youpi ! crie Terrabite en faisant un saut périlleux en l'air. Tu ne vas pas le regretter !

Aucun des Mini-Skylanders ne pense au danger qui les attend dans les entrailles de la terre. Ils ont tous envie de se battre pour le Bien et de venger les pauvres Molekins dont la vie a été bouleversée. Ils sont nés pour défendre les Skylands et leur sang bouillonne – surtout celui de Weeruptor, qui bouillonne *vraiment* et crache de petits jets de lave.

Le petit groupe suit Terrafin jusqu'au pied de la montagne. Elle est vraiment très grande – et, en comparaison, l'entrée de la mine semble encore plus petite.

Terrafin se penche. Il peut y glisser son bras, mais guère plus.

– À partir de là, je ne pourrai plus vous aider, prévient-il de nouveau. Alors soyez prudents, d'accord ?

– D'accord, répond Trigger Snappy en se jetant dans le trou sans regarder s'il y a le moindre danger.

CHAPITRE 3

LE PLAN DE KAOS

Les Mini-Skylanders descendent dans les entrailles de la montagne, prêts à affronter l'Horrible Méchant Kaos. Bientôt, ils ne distinguent plus l'entrée, et la lumière du jour disparaît peu à peu.

– Il fait vraiment sombre, ici, grommelle Pet-Vac, un mini-

oiseau bleu. Je n'arrive pas à voir plus loin que le bout de mon bec.

— Attends, je vais te donner un peu de lumière, répond Weeruptor en s'embrasant.

— Aïe ! gémit Mini Jini. Arrête, tu me brûles !

Gêné, Weeruptor s'éteint et l'obscurité retombe. Les Mini-Skylanders sont désormais loin en dessous du sol. Les couloirs se ressemblent tous : obscurs et à l'abandon.

– Ouille ! Je me suis fait mal au pied, gémit soudain Terrabite.

Il vient de marcher sur une pioche abandonnée par terre. Les Molekins ont fui si vite qu'ils ont abandonné tous leurs outils.

– Est-ce que l'un d'entre vous a déjà vu Kaos ? demande Eye Small pour faire la conversation. Est-il aussi méchant qu'on le raconte ?

– Il paraît qu'il est tout chauve, avec une grosse tête, explique Pet-Vac. C'est pour ça qu'il est

méchant, c'est dur d'être gentil quand on n'a pas de cheveux !

– Hé ! proteste Terrabite. C'est pas vrai !

Le mini-requin n'a jamais eu de cheveux – ni de poils d'ailleurs ! Mini Jini lui donne une tape amicale pendant que les aventuriers continuent leur descente. Bientôt, tout le monde se tait. Le petit groupe arrive à l'endroit où le terrible Kaos a établi son camp. Autant être discret pour bénéficier de l'effet de surprise !

Les couloirs deviennent de plus en plus étroits, et l'air de plus en plus irrespirable. Ça sent le soufre et l'œuf pourri. Beurk !

– Vous croyez qu'on se rapproche d'une source de lave ? demande Weeruptor à mi-voix.

– Ou alors, Kaos n'a pas changé de chaussettes ! répond Terrabite sur le même ton.

Les Mini-Skylanders s'approchent encore. Ils entendent désormais les voix rocailleuses des trolls en contrebas. Et surtout, surtout…

Une autre voix…

Plus forte que les autres…

Plus agressive…

Plus aiguë aussi…

– IMBÉCILES ! rugit Kaos. Cherchez mieux ! Ma Boule de Cristal de Divination Express m'indique qu'il doit se trouver ici !

– Maître, proteste l'un des trolls. Nous avons cherché partout.

– Oui, ça fait des heures que nous sommes ici, confirme un autre. Nous sommes fatigués ! Et vous savez bien qu'au bout d'un moment, les Skylanders finiront par arriver pour ruiner tous vos projets… comme d'habitude !

– SILENCE ! hurle le terrible Maître du Portail. Tu ne comprends pas à quel point mon plan est parfaitement parfait ! Dans ces tunnels, je suis intouchable ! Les Skylanders sont trop gros pour passer dans les galeries depuis que nous les avons fait effondrer. Ils ne peuvent pas m'attaquer. Cet endroit sera ma nouvelle forteresse. Et quand vous aurez trouvé le Casque de

Contrôle Mental, plus personne ne pourra m'empêcher de régner sur les Skylands. Mouahaha ! MOUAHAHAHA !

– Il a encore amélioré son Rire Maléfique, observe un troll en retournant au travail.

Au bout du tunnel, les Mini-Skylanders se regardent.

– Qu'est-ce que vous en pensez ? demande Terrabite.

– Que son rire est encore plus agaçant que me le disait Eruptor, grimace Weeruptor.

– Il a parlé d'un Casque de Contrôle Mental, non ? dit Mini Jini. Ça a l'air dangereux. On devrait l'arrêter avant qu'il ne le trouve.

– Oui, confirme Pet-Vac. Il pense qu'aucun Skylander ne peut l'atteindre ici, mais il n'a pas compté sur nous, les Mini ! On va lui tomber dessus et arrêter ses plans diaboliques.

– Œil pour œil ! lance Eye Small.

– Et dent pour dent, complète Terrabite en montrant son impressionnante mâchoire de requin.

Les Mini-Skylanders se rapprochent silencieusement de l'endroit d'où viennent les voix.

Le tunnel se poursuit encore sur quelques mètres, puis finit en cul-de-sac. Par chance, un petit trou dans le mur permet d'espionner à l'intérieur d'une énorme caverne. Cette dernière

devait être l'endroit où les Molekins rangeaient toutes leurs affaires après le travail, mais on a l'impression qu'une tempête a tout dévasté. Les outils sont éparpillés un peu partout sur le sol !

Aussitôt, les héros se plaquent contre la paroi pour observer leurs ennemis sans se faire remarquer : des dizaines de trolls, ces affreuses créatures à la peau verte, fouillent le sol de la caverne de leurs griffes épaisses. Ils ont l'air déprimés.

– Je m'ennuie, grommelle l'un des trolls.

– Tais-toi et creuse, soupire un second.

Au centre de la caverne, les Mini-Skylanders distinguent une silhouette de petite taille – même si, de leur point de vue, elle reste très grande. Le

personnage est chauve, avec de gros sourcils, il a les yeux rouges et des tatouages magiques sur le visage.

Pas de doute, il s'agit bien de l'affreux, de l'ignoble, du terrible Kaos.

Weeruptor fait de son mieux pour éteindre ses flammes et rester discret. Il se penche en avant pour mieux voir...

Soudain, le cri d'un troll déchire le silence :

– Seigneur Kaos ! J'ai trouvé le Casque !

Le troll se précipite vers son maître et lui donne le vieil objet poussiéreux qu'il vient de déterrer. De loin, on dirait un vieux bol abîmé, mais il s'agit bien d'un casque en métal.

– Ah ! rugit Kaos en le nettoyant d'un geste de la manche. Grâce à cet objet magique, je vais pouvoir soumettre les

Skylands à ma volonté ! Je vais commencer par les Molekins, qui deviendront tous mes esclaves, et puis je lancerai mon armée à l'assaut des îles ! J'appellerai ça… mon Plan de Conquête du Monde !

– Ce n'est pas très original, comme nom, marmonne un troll.

– Silence, IMBÉCILE ! Puisque c'est comme ça, je vais l'appeler mon Plan Sombre et Terrifiant de Conquête du Monde ! C'est mieux ?

– C'est mieux, admet le troll.

– Non, ce n'est pas mieux, murmure Eye Small, caché avec les autres Skylanders dans le tunnel qui mène à la caverne. Il faut qu'on arrête Kaos !

– Comment faire ? demande Mini Jini. Si nous faisons le tour des galeries pour trouver un

moyen d'entrer dans la caverne, nous allons perdre un temps fou. Car nous avons beau être petits, nous ne passerons jamais par ce trou !

Terrabite esquisse un sourire de requin.

– J'ai une idée : laisse-moi la creuser !

Comme à l'entraînement, il prend une grande inspiration… et bondit en avant ! Il passe à travers le mur dans un déluge de pierres et de poussière, rebondit sur le sol, puis atterrit en plein sur Kaos, qui, sous le choc, laisse tomber le Casque de ses mains.

– Que se passe-t-il ? hurle le Maître du Portail, furieux. Qui a laissé entrer un bébé requin dans mon Repaire Très Très Secret ?

Autour de lui, les trolls se mettent en position de combat pour le protéger.

Les Mini-Skylanders, quant à eux, profitent du trou qu'a creusé Terrabite pour pénétrer dans la caverne.

— Rendez-vous ! Vous êtes cernés ! crie Eye Small.

— Parle pour toi, œil fatigué ! répond Kaos. Comme d'habitude,

vous m'avez trouvé, mais comme d'habitude, je vais vous vaincre, bande de mauviettes !

– Euh, non, pas comme d'habitude ! intervient un troll. Vous vous souvenez : à chaque fois, on se fait battre et on doit fuir par un Portail.

– Silence, IMBÉCILE ! Ce ne sont pas des SKYNULLARDS qui vont…

Kaos s'interrompt en plein milieu de sa phrase et observe mieux les petites créatures qui l'entourent. Il agite la jambe pour se débarrasser de Terrabite, qui essaie de le mordre.

– Attendez une seconde… Vous n'êtes pas des Skylanders ! Vous êtes trop petits ! Vous êtes ridicules ! Allez, lâche-moi, requin de poussière minable !

Kaos parvient enfin à se libérer de Terrabite, qui rejoint ses amis :

– C'est exact, s'écrie ce dernier. Nous sommes les Mini-Skylanders, et nous allons stopper tes plans infâmes !

– Vous seriez déjà incapables d'arrêter un bébé qui pleure, ricane Kaos. Vous n'êtes même pas des Skynullards, vous êtes… des MINI-NULLARDS !

– Bien trouvé, maître, reconnaît un troll.

– Oui, je suis d'accord, se vante Kaos.

Les trolls avancent pour engager le combat pendant que les Mini-Skylanders se regardent,

furieux. Ils ne vont pas se laisser insulter ainsi ! Maître Eon les a tous choisis pour accomplir une mission sacrée – défendre les Skylands – et ils se sont beaucoup entraînés pour y arriver. Ce ne sont pas quelques trolls qui vont les impressionner.

– En avant, Mini-Skylanders ! crie Terrabite en se jetant à l'attaque. Montrons-leur ce dont nous sommes capables !

Ses amis le suivent et, bientôt, c'est la mêlée générale.

– Vous allez voir de quel bois je me chauffe, rugit Weeruptor en crachant des flammes.

– Aïe ! Aïe ! Aïe ! hurle un troll avec le derrière en feu.

Deux ennemis tentent de prendre Mini Jini en tenaille, mais elle se téléporte derrière eux et lance ses étoiles de ninja sans jamais s'arrêter. Elle en a des dizaines !

– Ouille ! Ouille ! Ouille ! crient les trolls.

Les monstres tentent de se regrouper pour attaquer, mais c'est au tour de Pet-Vac d'intervenir. Il sort sans crier gare son Vacuum Jet, une sorte d'aspirateur inversé, qui repousse les trolls dans tous les sens. Trigger Snappy, lui, bondit comme un

fou et les fait tomber les uns sur les autres.

– Combattez, bande d'IMBÉCILES ! rugit Kaos, furieux.

– On essaie, mais ils sont trop forts, proteste un troll.

– Décidément, il faut que je fasse tout moi-même, grommelle le Maître du Portail.

Il observe le champ de bataille puis profite d'une accalmie pour se rapprocher du Casque de Contrôle Mental qui a roulé dans un coin de la caverne. S'il met la main dessus, il pourra détruire l'esprit des Mini-Skylanders et les soumettre à sa volonté.

– Attention ! crie Terrabite. Arrêtez-le avant qu'il ne le pose sur sa tête !

Trop tard… Kaos est arrivé à côté du Casque. Il tend la main pour s'en emparer…

Mini Jini comprend tout de suite le danger. Elle joint les mains et murmure une incantation ninja que son professeur lui a enseignée. Aussitôt, une petite boule de lumière apparaît devant le visage de Kaos et l'empêche d'avancer.

– Tu as un dernier vœu à faire ? demande Mini Jini.

– Vous allez me laisser tranquille, enfin ? rugit Kaos en essayant d'attraper le Casque malgré la lumière qui le suit. Vous êtes faibles et ridicules, vous devriez avoir l'intelligence

de fuir au lieu de vous battre contre moi !

– Ce vœu ne sera pas exaucé, répond Mini Jini en augmentant la puissance de la boule magique.

– Aaah ! crie Kaos en se protégeant les yeux.

Derrière eux, la bataille bat son plein. Les Mini-Skylanders sont plus forts, mais les trolls sont plus nombreux. À chaque fois que l'un d'entre eux s'enfuit avec les cheveux gelés ou la peau brûlée, un

autre prend sa place. Terrabite s'en-fonce dans la terre pour fuir la massue d'un troll plus gros que les autres.

– Dépêchez-vous de neutraliser Kaos ! s'écrie-t-il en sortant la tête du sol. On ne va pas tenir longtemps… Ah zut ! J'ai bu la tasse, j'ai avalé de la poussière !

Pet-Vac continue à faire des ravages avec son Vacuum Jet, mais le moteur de son arme commence à fatiguer. Il est obligé de reculer devant les griffes d'un terrible adversaire !

– Eye Small, à toi de jouer ! crie-t-il.

– On va voir si vous appréciez de recevoir le Mauvais Œil, déclare celui-ci en clignant de la paupière.

Le Mini-Skylander est capable de lancer des malédictions très puissantes ! Une lumière rouge entoure ainsi les trolls, puis se dissipe.

– Ben alors, ça ne nous a pas fait mal, observe l'un d'eux, presque surpris.

– Oui, c'était plus douloureux quand c'était du feu, confirme le second.

Mais alors qu'ils s'apprêtent à reprendre le combat, le premier troll s'emmêle les pieds et tombe en avant. Pour se rattraper, il agrippe le bras du second, qui s'effondre à son tour, en entraînant un troisième.

– Eh ! Qu'est-ce que vous faites ?! proteste le dernier troll.

– Désolé, j'ai glissé, s'excuse le second.

– Je n'arrive plus à me relever, grogne le premier.

– C'est comme si mes bras bougeaient tout seuls, gémit le second en se donnant des coups dans le visage.

La malédiction d'Eye Small est décidément très puissante, mais les trolls sont si nombreux !

– Maintenant, ça suffit ! gronde Kaos. Je suis quand même un Maître du Portail, et vos tours de magie ridicules ne m'impressionnent pas !

D'un geste de la main, il détruit la boule de lumière que Mini Jini a créée. Sous le choc, cette dernière tombe à la renverse. Elle est épuisée.

– Vous avez vu ? Je suis trop fort ! Personne ne peut plus s'opposer à ma victoire ! lance Kaos, ravi.

Il a raison. Alors que les Mini-Skylanders se battent contre les trolls, le sorcier a le champ libre. Il n'y a plus personne pour l'empêcher de s'emparer du Casque de Contrôle Mental. Les Skylands sont condamnés !

– Non ! crie Eye Small.

Sa tête se détache de son corps, qui s'effondre sur le sol. Il n'en a jamais eu vraiment besoin ! Il le garde pour être poli et ne pas faire peur aux

autres, mais, en réalité, il est tout simplement un œil flottant, avec deux petites ailes sur le côté ! Ainsi libéré, il vole jusqu'à Kaos à une vitesse incroyable.

Terrorisé par cette apparition, le Maître du Portail recule d'un pas… et lâche le Casque, qui vient rouler jusqu'à un rocher au milieu du champ de bataille.

– Mon Précieux ! hurle Kaos. Comment avez-vous osé ?

– Nous sommes des Skylanders ! répond fièrement Eye Small.

Même si nous sommes petits, nous n'abandonnons jamais !

Impressionnés par les prouesses de nos héros, les trolls reculent prudemment.

Mais Kaos a plus d'un tour dans son sac. Il claque des doigts et apparaît à un autre endroit de la caverne… loin d'Eye Small.

– Ouvre grand tes oreilles, l'Œil, parce que je vais utiliser mon incantation la plus dangereuse et la plus suprême. Elle est tellement dangereuse et suprême que vous allez tous disparaître de ma vue et que je vais remporter la victoire ! Grâce à cette incantation, le Casque de Contrôle Mental va directement voler jusqu'à mon crâne et je pourrai contrôler vos pensées !

– Euh, Maître, vous devriez lancer votre incantation au lieu d'en parler, observe un troll qui vient de se faire mordre par Terrabite. Parce que si vous leur donnez tous les éléments de votre plan, ils trouveront un moyen de le contrer.

– Ah bon ? Et que peuvent-ils tenter, ces MINI-NULLARDS ?

– On peut faire ça, par exemple ! répond Terrabite.

Pendant le discours de Kaos, les Mini-Skylanders se sont discrètement rapprochés du Casque magique. Terrabite et Weeruptor se regardent et se font un clin d'œil complice. Comme à l'entraînement !

– Tu es prêt, Weeruptor ?

– Je suis prêt, Terrabite !

Le requin plonge dans le sol et creuse un trou juste sous le Casque ! Dans une avalanche de gravats, le dangereux objet magique s'enfonce dans les entrailles de la terre… Mais Kaos ne semble pas plus inquiet que ça.

– Ah ! Ah ! Ah ! Je vous ai dit que mon incantation pourrait faire venir le Casque jusque dans ma main, même s'il se trouvait sous des tonnes de pierres, ricane-t-il. Votre attaque n'a servi à rien.

– Attends, nous n'avons pas fini, se moque Terrabite.

En effet, Weeruptor vient d'atterrir dans la fissure créée par le requin. Il se transforme en lave et le Casque se met à fondre.

– Non ! hurle Kaos.

– Si, si… rugissent les Mini-Skylanders.

– On vous l'avait bien dit, observent les trolls, fatalistes.

Lentement, la lave ronge le Casque, jusqu'à ce qu'il n'en reste plus grand-chose. Kaos a perdu !

— **M**on Casque ! Mon plan si bien monté ! rugit Kaos en voyant les restes carbonisés de l'objet magique.

Dans la caverne, les combats ont désormais cessé. Les trolls ont compris qu'ils avaient perdu et ils se font discrets dans un coin de la grotte pour que les

Mini-Skylanders arrêtent de les frapper. Lentement, ceux-ci se rapprochent de Kaos, effondré sur le sol.

Mais le Maître du Portail ne reste pas déprimé bien longtemps. S'il a bien une qualité, c'est de toujours croire en sa bonne étoile, même lorsqu'il s'est fait battre pour la dixième fois consécutive.

Il agite les mains dans le vide et un Portail bleu lumineux apparaît.

– Cette fois-ci, vous avez gagné, admet Kaos. Mais il y aura une autre fois. Ou d'autres fois.

Plein d'autres fois. Et ma vengeance sera terrible ! Je vous montrerai qu'il faut me prendre au sérieux !

– Oh, crois-moi, nous te prenons au sérieux, annonce Terrabite en avançant vers lui.

– Vous verrez que, bientôt, les Skylands seront à... Quoi ? Qu'est-ce qu'il y a ? Pourquoi m'interromps-tu ? grogne Kaos lorsqu'un troll lui tire la manche.

– Euh, Maître, il faudrait penser à prendre le Portail magique, parce que les Mini-Skylanders risquent de vous capturer s'ils se rapprochent trop.

– Ce sont tous des MINI-NULLARDS !

– Oui, certainement, admet le troll qui ne veut pas vexer son maître. Mais quand même, ce serait mieux de partir.

Kaos regarde autour de lui. Trigger Snappy tire une langue redoutable. Terrabite fait claquer ses mâchoires avec entrain. Weeruptor dégage une chaleur insupportable. Mini Jini a recréé une boule de lumière magique. Eye Small est prêt à lancer une nouvelle malédiction. Quant à Pet-Vac, il a rechargé son arme.

– Oh, bon, d'accord, boude le Maître du Portail. Tant pis pour mon dis-cours de menace.

Il se laisse en-traîner, et disparaît avec les trolls au moment où Terrabite lui saute dessus. Le requin atterrit sur le ventre dans un nuage de poussière !

Il n'y a plus aucun ennemi dans la caverne. Dans un coin, les restes du Casque de Contrôle Mental finissent de rougeoyer. Les Mini-Skylanders se regardent, incrédules.

– On a gagné ? demande Pet-Vac.

– On a gagné, confirme Mini Jini.

Fou de joie, Trigger Snappy rebondit dans tous les sens.

– On a gagné ! On a gagné !

Les aventuriers remontent lentement les galeries à moitié effondrées de la mine. Les Molekins auront du travail pour tout remettre en état de marche, mais au moins, Kaos n'est plus une menace… pour le moment ! Qui sait ce qu'il se serait passé s'il était allé au bout de

son plan et avait réussi à contrôler l'esprit des Skylanders...

Terrafin attend ses petits protégés à l'ombre de la montagne, fou d'inquiétude. Le visage de Maître Eon flotte à côté de lui.

Terrabite est le premier à sortir à l'air libre.

– Alors ! Que s'est-il passé ? Racontez-moi ! s'écrie Terrafin.

Les Mini-Skylanders s'empressent de raconter un à un chaque détail de la bataille.

– Et ensuite, on a fait exactement comme à l'entraînement, conclut Weeruptor. Et on a brûlé le Casque !

Maître Eon regarde tour à tour les Mini-Skylanders. C'est difficile à dire parce que son visage est une illusion, mais il a l'air vraiment ému. Il est très fier d'eux !

– Mes amis, lorsque je vous ai choisis, j'étais convaincu que vous seriez un jour capables de devenir des Skylanders accomplis. Vous êtes plus petits, mais tout aussi déterminés, tout aussi puissants et énergiques, et surtout, tout aussi prêts à vous battre pour défendre les Skylands contre l'impitoyable Kaos.

– Maître Eon, est-ce que vous voulez dire… commence Terrafin, incrédule.

– Oui. Tu les as bien formés, et ils sont exceptionnels. Tous. Pour vous récompenser de vos actions, j'ai décidé de vous nommer Skylanders. Plus personne ne pourra dire que vous êtes des Mini. Parce que pour moi, vous avez un maxi-courage, et c'est ce qui compte pour devenir un Skylander.

Terrabite et Weeruptor se regardent, stupéfaits. Eux, des vrais Skylanders ? Ils se jettent l'un sur l'autre pour se féliciter. Autour d'eux, leurs compagnons se prennent aussi dans les bras.

Eye Small essuie une larme, grosse comme lui.

Aujourd'hui encore, les Skylanders ont été victorieux. Mais Maître Eon a beau sourire, il reste soucieux. Les Superchargers, les Mini-Skylanders… Il fait tout ce qu'il peut pour préparer la relève, afin que les Skylands soient toujours protégés contre le Mal et contre des ennemis comme Kaos. Mais la prochaine mission se passera-t-elle aussi bien ? Il a comme un mauvais pressentiment…

Pour contrer Kaos, les Skylanders ne sont jamais à court d'idées...

AS-TU LU LES TOMES PRÉCÉDENTS ?

TABLE

PAPIER À BASE DE
FIBRES CERTIFIÉES

⊞hachette s'engage pour l'environnement en réduisant l'empreinte carbone de ses livres. Celle de cet exemplaire est de :

250 g éq. CO₂
Rendez-vous sur
www.hachette-durable.fr

Photogravure Nord Compo - Villeneuve-d'Ascq

Imprimé en Espagne par CAYFOSA
Dépôt légal : août 2016
Achevé d'imprimer : juillet 2016
75.7311.7/01 – ISBN 978-2-01-195674-3
Loi n° 49956 du 16 juillet 1949
sur les publications destinées à la jeunesse